D1374018

Pascale Martin

Confitures, compotes & chutneys

ÉDITIONS
FRANCE
LOISIRS

© 2011 Édition du Club France Loisirs
Éditions France Loisirs
123 boulevard de Grenelle, 75015 Paris
www.franceloisirs.com

Textes : Pascale Martin
Photos : Rina Nurra
Stylisme : Lissa Streeter
Conception graphique et réalisation : Guylaine Moi
Relecture et corrections : Isabelle Clémenceau
Édition : Aden Arabie Atelier

ISBN : 978-2-298-04415-7
N° éditeur : 62754
Dépôt légal : juin 2011

Achevé d'imprimer en France par CPI Aubin Imprimeur, mai 2011

Sommaire

Tentez une expérience et posez la question suivante : « quelle est votre confiture préférée ? » Immédiatement les yeux s'illuminent, le regard devient lointain, les souvenirs affluent et les langues se délient. En ce qui me concerne j'évoquerai en premier lieu la confiture de figues de ma grand-mère Marguerite, nostalgie des vacances d'été dans le sud de la France, oscillant doucement entre la chaleur écrasante de l'après-midi et la fraîche pénombre de la maison aux murs épais. Plus tard, ce sera la gelée de cassis du jardin familial de Paray-le-Monial, les framboises ardéchoises ou les « brimbelles » (myrtilles) vosgiennes.

Ce que j'aime tout particulièrement avec les confitures, c'est le bonheur de les réaliser soit en joyeuse bande soit dans le secret de ma cuisine : quel plaisir de partir à la recherche de pots disséminés dans la maison, de les ébouillanter et les déposer sur un torchon immaculé ! La veille au soir, on aura soigneusement préparé le mélange de fruits et de sucre. Et puis, on surveillera le bouillonnement du mélange et on s'émerveillera de la voluptueuse odeur qui envahit toute la maison ! Enfin, il y a ce moment de fierté où vous contemplez votre belle série de pots bien alignée. N'oublions pas la joie des cadeaux : l'acidité de la rhubarbe pour l'ami Gilles, la distribution pour le « fan club » de la clémentine, le chutney à la mangue pour Marie-Paule, spécialiste du sucré-salé... Certaines recettes sont le résultat d'échanges régionaux : clémentine du sud contre mirabelle de l'est. Certaines créations font l'objet d'âpres négociations : ah la confiture de prunes au poivre de Sichuan d'Anna !

« Souvenirs, souvenirs... », sur un air connu !
Des souvenirs de moments de détente,
de partage, et surtout de plaisirs gourmands.
Alors, à vos pots, prêt, partez !

Avant de commencer

LA CUISSON

● Le grand principe de base quand on se lance dans la cuisson des confitures c'est toujours: NE PAS FAIRE TROP CUIRE ! Si vous la trouvez trop liquide, il sera toujours temps de la faire recuire une 2ème fois mais rien n'est pire qu'une confiture dure comme du béton et qui a complètement perdu le goût du fruit. Pour évaluer la bonne consistance de votre confiture : mettez une assiette quelques minutes au réfrigérateur puis déposez une cuillère de confiture sur l'assiette. Une fine pellicule doit se former qui se ride sous la pression du doigt. Si vous trempez une cuillère en bois dans la préparation et que celle-ci, déjà un peu épaisse, s'écoule lentement en grosses gouttes sur le dos de la cuillère, on dit qu'elle « perle ». C'est le moment de stopper la cuisson.

● Si, par malchance, après refroidissement, vous vous apercevez que votre œuvre est trop cuite, vous pouvez essayer de la faire bouillir à nouveau avec 10 cl de jus de citron pour 1 kg de confiture mais sans garantie ! Mais sachez que la consistance de votre confiture est toujours une surprise après le refroidissement : comme le bon vin, chaque cuisson est unique car la qualité des fruits, leur grosseur, leur degré de maturité est toujours différente... Enfin, ne vous hasardez jamais à cuire plus de 4 kg de fruits en même temps.

LE MATÉRIEL

Faire des confitures est un passe-temps très peu coûteux car c'est une activité qui nécessite un matériel très ordinaire :

● 1 ou 2 saladiers en verre grand format pour laisser macérer les fruits dans le sucre.

● Un grand faitout à fond épais (ma cocotte minute de 10 litres est parfaite pour 2 kg de fruits et 2 kg de sucre): pas la peine d'investir dans une coûteuse et encombrante bassine en cuivre sauf si vous en rêvez et avez envie de vous faire ce joli cadeau !

● Une cuillère en bois à long manche.

● Des bocaux de récupération en verre (olives, moutarde, cornichons, miel ou... confiture...) avec un couvercle en métal à vis. Pour les conservations au vinaigre (chutneys et pickles), choisir des couvercles à fond plastifié. Variez au maximum les tailles et les formes pour chaque usage : le mini-pot type bocal à anchois ou tapenade pour faire des doses tests ou des coffrets cadeaux, le maxi-pot de 500 g pour les fans, les formes très élégantes (bocaux de grands épiciers ou confiseurs) pour des cadeaux chics.

● Une louche à potage.

● Un entonnoir à embouchure large : là aussi, il n'est pas forcément nécessaire d'investir car les entonnoirs de lave-vaisselle pour verser le sel sont parfaits pour cet usage et gratuits, une fois bien rincés et ébouillantés, bien sûr !

LES INGRÉDIENTS

• Les fruits : bien sûr, l'idéal est d'avoir accès à un verger, mais vous pouvez, même en pleine ville, faire vos confitures à moindre coût : concluez un accord avec votre marchand de légumes, négociez ses fruits trop mûrs et ses fins de marché contre 1 ou 2 pots de confitures !

• Le sucre : choisissez du sucre cristallisé, c'est le moins cher. Respectez la proportion minimum de 40 % de sucre sinon vous prenez le risque d'une moins bonne conservation qui se traduira par de la moisissure.

LA CONSERVATION

• Plongez les pots et leurs couvercles pendant 15 min dans l'eau bouillante et retirez-les pour les faire sécher avec une pince à cornichons et des maniques pour éviter de vous brûler

• Remplissez les pots pratiquement jusqu'au bord, à la louche, en évitant les débordements grâce à l'entonnoir à large embouchure.

• Revissez les couvercles à fond en vous servant des maniques car le pot est brûlant et retournez-le pour permettre à la chaleur de monter et de faire le vide dans le pot : c'est le petit « ploc » que vous entendrez en ouvrant le pot qui vous rassurera sur la bonne conservation de son contenu.

• Quand le pot est complètement refroidi, vous pouvez le retourner et mettre votre production à l'abri du jour.

LA DÉCORATION

Outre la diversité des contenants, vous pouvez bien sûr, vous amuser à étiqueter vos pots avec des carrés de papier, kraft, de couleur, artisanaux, entourant le couvercle et fermés d'un lien en raphia ou d'un joli ruban, carrés de papier où vous aurez inscrit, en belle anglaise, l'année et le nom de la confiture concernée. Vous pouvez également utiliser des étiquettes décorées type cahier d'écolier, à coller sur le verre. Pour les plus fanatiques, sachez qu'il existe également en mercerie, des dessus de pots en étamine à broder au point de croix avec des motifs de fruits correspondants, cerises, abricots, fraises,...Et puis, vous pouvez choisir toutes sortes de contenants, corbeilles, paniers, boîtes ou sacs en carton, pour offrir vos productions. Personnellement, j'aime bien offrir une décoration florale où ma fleuriste préférée aura glissé deux ou trois mini-pots de différentes confitures : c'est un cadeau personnalisé, original et rarement boudé. Mais c'est à vous maintenant d'imaginer sous quelle forme vous allez présenter votre fabrication personnelle !

Une de mes toutes premières confitures : simple à réaliser et rapide.

POUR 7 À 8 POTS   PRÉPARATION : 15 MIN   MACÉRATION : 1 NUIT   CUISSON : 30 MIN

Confiture de clémentines

2 kg de clémentines
2 kg de sucre cristallisé

● Choisissez de préférence des clémentines à peau pas trop épaisse, sans pépins et non traitées. Épluchez la moitié des clémentines. Lavez soigneusement les fruits non épluchés. Coupez toutes les clémentines, épluchées ou non, en 4 quartiers.

● Dans un saladier, mélangez les quartiers de clémentines avec le sucre. Écrasez légèrement les quartiers de fruit avec une cuillère en bois puis laissez macérer pendant une nuit.

● Versez le mélange de fruits et de sucre dans une casserole et faites cuire 20 min à feu vif. Mixez. Il ne doit pas rester de peau entière.

● Versez de nouveau le mélange dans la casserole et faites cuire 10 minutes. Ôtez soigneusement les pépins à l'aide d'une écumoire puis mettez en pots.

Le conseil de Pascale Attention cette confiture «prend» très vite ! Pour vos premiers essais, réduisez plutôt le temps de cuisson, quitte à obtenir une confiture trop liquide car trop cuite, elle perdrait tout son intérêt.

Une confiture pleine de subtilité, mariant sucre et acidité !

POUR 7 À 8 POTS   PRÉPARATION : 30 MIN   MACÉRATION : 1 NUIT   CUISSON : 40 MIN

Confiture de rhubarbe

2 kg de tiges de rhubarbe
1,8 kg de sucre cristallisé

● Choisissez impérativement des tiges de rhubarbe très fermes, qu'elles soient vertes ou rouges. Elles seront d'autant plus faciles à éplucher, surtout si elles ne sont pas trop fines.

● Épluchez chaque tige très soigneusement et coupez-les en gros tronçons dans un grand saladier en verre. Ajoutez le sucre et laissez macérer la rhubarbe pendant une nuit.

● Le lendemain, versez le mélange de sucre et de rhubarbe dans une casserole et faites cuire 40 minutes à feu vif. Écumez régulièrement. La confiture est cuite quand les tronçons commencent à se déliter.

Le conseil de Pascale Le secret de cette confiture, c'est de ne pas la surdoser en sucre car c'est l'acidité de la rhubarbe qui en fait tout le charme.

Une variante plus douce et pleine d'originalité avec des fraises ….

1,5 kg de tiges
de rhubarbe
500 g de fraises
1,8 kg de sucre cristallisé

Confiture de rhubarbe/fraises

● Laissez macérer dans le sucre pendant une nuit 500 g de fraises lavées et équeutées avec 1,5 kg de tiges de rhubarbe coupées en gros tronçons. Ensuite procédez comme précédemment.

● Choisissez des fraises petites et parfumées, type garriguette ou mara des bois, cela en vaut la peine !

Un grand classique de la confiture maison revisité avec un soupçon de menthe ....

POUR 7 À 8 POTS   PRÉPARATION : 30 MIN   MACÉRATION : 1 NUIT   CUISSON : 30 MIN

Confiture de fraises à la menthe

2 kg de fraises
1,8 kg de sucre cristallisé
1 poignée de menthe fraîche (à défaut une bonne pincée de menthe surgelée)

• Équeutez les fraises, enlevez les parties abîmées et passez-les sous l'eau très rapidement.

• Mettez les fraises, coupées en morceaux pour les plus grosses, dans un saladier avec le sucre et laissez macérer pendant une nuit.

• Le lendemain, versez le mélange de sucre et de fraises dans une casserole. Faites chauffer à feu doux le temps de faire fondre le sucre puis faites cuire à feu vif pendant environ 15 minutes. Arrêtez la cuisson dès que la préparation perle (voir cuisson p. 6).

• Écumez et mettez en pots.

Le conseil de Pascale **Pour les aventureux, on peut ajouter quelques grains de poivre. Personnellement, j'adore !**

Une recette un peu délicate et exigeante en temps mais quel résultat!

POUR 7 À 8 POTS PRÉPARATION : 1 H MACÉRATION : 1 NUIT CUISSON : 40 MIN

Confiture de cerises

2 kg de cerises
1,8 kg de sucre cristallisé
Le jus de 3 citrons

● Lavez puis dénoyautez les cerises. Mettez les fruits dans un saladier avec le sucre et le jus des 3 citrons. Laissez macérer pendant une nuit. La cerise étant un fruit qui coagule très peu, il faut lui adjoindre une pectine naturelle : jus de citron, jus de groseilles ou de cassis.

● Le lendemain, versez le mélange de sucre et de cerises dans une casserole et faites cuire pendant environ 45 minutes.

● Écumez et mettez en pots.

Le conseil de Pascale C'est le moment de mettre à contribution toute la famille pour le dénoyautage des cerises car sinon, c'est un grand moment de solitude garanti ! Choisissez des cerises bien mûres et plutôt charnues pour faciliter le dénoyautage.

Une confiture très facile à réaliser pour un maximum de succès !

POUR 7 À 8 POTS   PRÉPARATION : 20 MIN   MACÉRATION : 1 NUIT   CUISSON : 20 MIN

Confiture de fruits rouges

500 g de framboises
500 g de myrtilles
500 g de groseilles
500 g de cassis
2 kg de sucre cristallisé

● Égrainez les groseilles et les cassis. Passez très rapidement sous l'eau tous les fruits.

● Mettez les 4 fruits dans un saladier avec le sucre et laissez macérer pendant une nuit.

● Le lendemain, versez le mélange de fruits et de sucre dans une casserole et faites cuire pendant environ 30 minutes : arrêtez la cuisson dès que la préparation perle (voir cuisson p. 6). Le cassis, riche en pectine, permet une coagulation très rapide.

● Écumez et mettez en pots.

Le conseil de Pascale Vous pouvez faire cette confiture toute l'année en utilisant des mélanges surgelés très pratiques !

À faire de préférence dans une région de pêchers pour une parfaite maturité des fruits !

POUR 7 À 8 POTS   PRÉPARATION : 15 MIN   CUISSON : 45 MIN

Confiture de pêches

1,5 kg de pêches
3 pommes
Le jus de 1 citron
2 kg de sucre cristallisé

- Choisissez des pêches bien parfumées et bien mûres pour faciliter l'épluchage.
- Pelez et coupez les pêches et les pommes en morceaux.
- Dans une casserole, mélangez soigneusement les fruits avec le jus de citron et le sucre.
- Faites cuire à feu doux pendant environ 45 minutes : arrêtez la cuisson dès que le mélange perle (voir cuisson p. 6).
- Écumez et mettez en pots.

Le conseil de Pascale Choisissez une variété de pommes à cuire type reinette ou clochard. Sachez que la pauvreté en pectine de la pêche en fait une confiture moins facile à réussir.

Une confiture chère à mon cœur car c'est la préférée de l'homme de ma vie.

POUR 7 À 8 POTS PRÉPARATION : 10 MIN MACÉRATION : 1 NUIT CUISSON : 20 MIN

Confiture d'abricots, avec amandes du noyau

2 kg d'abricots
2 kg de sucre cristallisé

● Choisissez des abricots bien mûrs mais pas tachés et de bonne taille : les bergeron sont parfaits pour cette recette. Passez-les sous l'eau rapidement, ouvrez-les en deux avec les pouces et réservez les noyaux.

● Mettez les oreillons d'abricot dans un saladier avec le sucre et laissez macérer pendant une nuit.

● Cassez les noyaux d'abricots avec un marteau sur un papier journal largement déployé en prenant garde aux éclats. Trempez les amandes récupérées dans une tasse d'eau bouillante et, après refroidissement, émondez-les : attention ! la peau de ces amandes est toxique, il est donc indispensable de l'enlever.

● Le lendemain, versez le mélange de sucre et d'abricots dans une casserole et faites cuire pendant environ 30 minutes : arrêtez la cuisson dès que la préparation perle (voir cuisson p. 6).

● Écumez et mettez en pots.

Le conseil de Pascale Pour ceux qui n'aiment pas le goût de l'amande, qui peut rappeler l'odeur de la colle blanche des écoliers, prévoyez quelques pots sans !

POUR 7 À 8 POTS PRÉPARATION : 15 MIN MACÉRATION : 1 NUIT CUISSON : 30 MIN

Confiture de quetsches au poivre de Sichuan

2 kg de quetsches
2 kg de sucre cristallisé
10 grains de poivre
de Sichuan

● Choisissez des quetsches bien mûres et sans taches. Passez-les sous l'eau rapidement, puis ouvrez-les en deux à l'aide d'un couteau. Ôtez les noyaux.

● Mettez les fruits dans un saladier avec le sucre et laissez macérer pendant une nuit.

● Le lendemain, versez le mélange de fruits et de sucre dans une casserole, ajoutez les 10 granis de poivre et faites cuire pendant environ 30 minutes : arrêtez la cuisson dès que la préparation perle (voir cuisson p. 6).

● Écumez et mettez en pots.

Le conseil de Pascale La dizaine de grains de poivre de Sichuan c'est la recette d'Anna, absolument merveilleuse lorsqu'elle accompagne du riz basmati et des magrets de canard !

La confiture des Alsaciens par excellence.

POUR 7 À 8 POTS   PRÉPARATION : 40 MIN   MACÉRATION : 1 NUIT   CUISSON : 30 MIN

Confiture de mirabelles

2 kg de mirabelles
1,8 kg de sucre cristallisé

● Choisissez des mirabelles bien dorées et sans taches. Passez-les sous l'eau rapidement puis ouvrez-les en deux à l'aide d'un couteau. Ôtez les noyaux.

● Mettez les mirabelles dans un saladier avec le sucre et laissez macérer pendant une nuit.

● Le lendemain, versez le mélange de fruits et de sucre dans une casserole et faites cuire pendant environ 30 minutes : arrêtez la cuisson dès que la préparation perle (voir cuisson p. 6) Écumez et mettez en pots.

Le conseil de Pascale **Vous pouvez aussi réaliser cette confiture sans effort de préparation avec des mirabelles surgelées déjà dénoyautées !**

Une merveille d'équilibre, un goût incomparable :
LA confiture de maman !

POUR 7 À 8 POTS   PRÉPARATION : 15 MIN   MACÉRATION : 1 NUIT   CUISSON : 30 MIN

Confiture de reines-claudes de maman

2 kg de prunes de variété reine-claude
2 kg de sucre cristallisé

● Choisissez des prunes bien mûres mais pas tachées. Passez-les sous l'eau rapidement, puis ouvrez-les en deux à l'aide d'un couteau. Ôtez les noyaux.

● Mettez les fruits dans un saladier avec le sucre et laissez macérer pendant une nuit.

● Le lendemain, versez le mélange de fruits et de sucre dans une casserole et faites cuire pendant environ 30 minutes : arrêtez la cuisson dès que la préparation perle (voir cuisson p. 6). Écumez et mettez en pots.

Le conseil de Pascale Maman y ajoute parfois quelques pêches de vignes.

À faire en vacances, avec toute la famille mise à contribution pour la cueillette !

POUR 7 À 8 POTS   PRÉPARATION : 15 MIN   MACÉRATION : 2 H   CUISSON : 30 MIN

Confiture de mûres

3 pommes
2 kg de mûres
2 kg de sucre cristallisé
30 cl d'eau

● Pelez les pommes et coupez-les en lamelles dans un saladier. Rincez rapidement les mûres sous un filet d'eau froide et ajoutez-les dans le saladier avec le sucre. Laissez macérer 2 heures.

● Mettez le mélange de fruits et de sucre dans une casserole, ajoutez l'eau et portez à ébullition. Faites cuire à petit bouillons 30 minutes environ.

● Écumez et mettez en pots.

Le conseil de Pascale Choisissez des petites pommes à cuire de variété clochard ou reine des reinettes.

Elle me rend nostalgique car c'était la confiture favorite de ma grand-mère.

POUR 7 À 8 POTS PRÉPARATION : 20 MIN CUISSON : 2 H 15

Confiture de figues et noix de Dominique

2 kg de figues violettes
Une dizaine de noix
1,5 kg de sucre cristallisé
50 cl d'eau

● Rincez très rapidement les figues sous un filet d'eau froide et enlevez le pédoncule dur.

● Cassez les noix et coupez les cerneaux en deux ou trois.

● Dans une casserole, faites chauffer à feu doux le sucre et l'eau en mélangeant bien.

● Quand le sirop fait des petites bulles à la surface, ajoutez les figues.

● Laissez cuire 2 heures en écumant.

● Ajoutez les cerneaux de noix et mettez en pots.

Le conseil de Pascale **Je tartine cette confiture sur du pain à la farine de châtaigne et toute mon enfance me revient à la bouche !**

La confiture n°1 au hit parade : elle fait l'unanimité de 7 à 77 ans !

POUR 7 À 8 POTS   PRÉPARATION : 5 MIN   CUISSON : 20 MIN

Confiture de framboises

2 kg de framboises
2 kg de sucre cristallisé

● Rincez très rapidement les framboises sous un filet d'eau froide.

● Mélangez les framboises et le sucre dans une casserole. Faites cuire pendant environ 15 minutes : arrêtez la cuisson dès que la préparation perle (voir cuisson p. 6).

● Écumez très soigneusement et mettez en pots.

Le conseil de Pascale Vous pouvez faire cette confiture toute l'année en utilisant des miettes de framboises surgelées. Elle reviendra alors moins cher.

Brimbelles ? C'est tout simplement le nom lorrain pour les myrtilles mais c'est tellement plus mystérieux !

POUR 7 À 8 POTS   PRÉPARATION : 5 MIN   MACÉRATION : 2 H   CUISSON : 45 MIN

Confiture de brimbelles

3 pommes
2 kg de brimbelles
(ou myrtilles !)
2 kg de sucre gélifiant
Le jus de 3 citrons

● Pelez les pommes et coupez-les en lamelles dans un saladier. Rincez rapidement les brimbelles sous un filet d'eau froide et ajoutez-les dans le saladier avec le sucre.

● Laissez macérer 2 heures.

● Mettez le mélange de fruits et de sucre dans une casserole, ajoutez le jus des citrons et portez à ébullition. Faites cuire à petits bouillons 45 minutes environ.

● Écumez et mettez en pots.

Le conseil de Pascale C'est une des rares recettes où le sucre gélifiant est incontournable .

Une recette « spécial gourmand paresseux » vieille comme le monde !

POUR UN BOCAL GÉANT DE 2 L   PRÉPARATION : TOUT L'ÉTÉ !

Confiture de vieux garçon

2 cuil. à soupe de sucre cristallisé par fruit
2 cuil. à soupe d'eau de vie de fruits par fruit
Tous les fruits de l'été !

● Choisissez un grand bocal en verre avec un couvercle à vis ou un bocal à stériliser.

● En avril, déposez au fond du bocal une couche de fraises de 5 cm de hauteur , recouvrez de 2 cuillères à soupe de sucre et de 2 cuillères à soupe d'eau de vie.

● Puis au fil des mois et de leur apparition sur les marchés ou dans votre verger, procédez de même avec les cerises, les abricots, les pêches, les prunes et les raisins jusqu'à ce que le bocal soit plein.

● Veillez à bien couvrir les fruits d'eau de vie. Pour la conservation, réservez à l'abri de la chaleur et de la lumière .

Le conseil de Pascale Bonne et belle à voir, une recette à offrir et à déguster pour Noël !

Une confiture d'automne toute douce pour affronter les frimas.

POUR 7 À 8 POTS   PRÉPARATION : 45 MIN   CUISSON : 1 H

Confiture de poires à la vanille

2 kg de poires
Le jus de 3 citrons
2 gousses de vanille
1,5 kg de sucre cristallisé
60 cl de jus de pomme frais

● Pelez les poires et coupez-les en lamelles dans un saladier. Ajoutez le jus des 3 citrons. Mélangez.

● Mélangez les lamelles de poires, la vanille, le sucre et le jus de pomme dans une casserole. Portez le mélange à ébullition puis faites cuire à petits bouillons 45 minutes environ.

● Écumez et mettez en pots.

Le conseil de Pascale Parce que la poire est pauvre en pectine, cette confiture peut être longue à « prendre ». Vous pouvez hâter le processus en mettant à cuire les pépins et les épluchures des poires bien enfermés dans une mousseline en même temps que la confiture.

C'est la préférée des Ardéchois et il faut avouer
qu'ils ont bon goût !

POUR 7 À 8 POTS   PRÉPARATION : 50 MIN   REPOS : 1 NUIT   CUISSON : 35 MIN

Confiture de châtaignes

2 kg de châtaignes
1,5 kg de sucre cristallisé
50 cl d'eau

● Incisez en croix les châtaignes avec un petit couteau pointu et jetez-les 3 minutes dans une casserole d'eau bouillante pour les éplucher plus facilement.

● Mettez les châtaignes épluchées, le sucre et l'eau dans une casserole et portez le mélange à ébullition pendant 15 minutes.

● Réservez toute la nuit au frais puis faites cuire une 2ème fois pendant 15 minutes à feu vif, en écrasant les plus gros morceaux avec une cuillère en bois et sans cesser de tourner.

● Laissez cuire encore 5 minutes puis mettez en pots.

Le conseil de Pascale   Épluchez les châtaignes encore très chaudes sinon vous ne pourrez pas enlever la 2ème peau.

Encore une recette qui trahit bien mes origines provençales : du soleil en bocal !

POUR 7 À 8 POTS   PRÉPARATION : 5 MIN   MACÉRATION : 1 H   CUISSON : 20 MIN

Confiture de melons

2 kg de melons type Cavaillon
Le jus de 2 citrons
1,5 kg de sucre cristallisé
200 g de gelée de pommes vertes

● Coupez les melons en cubes dans un saladier et ajoutez le jus des citrons et le sucre.

● Laissez macérer 1 heure après avoir mélangé soigneusement.

● Mettez le mélange de fruits et de sucre dans une casserole, ajoutez la gelée de pomme et faites cuire pendant 20 minutes environ à feu vif.

● Écumez et mettez en pots.

Le conseil de Pascale Vous pouvez ajouter, au moment de la cuisson, des zestes d'orange ou de citron très finement émincés qui apporteront une petite touche rafraîchissante d'amertume.

À faire en plein cœur de l'été : une recette au goût acidulé qui en étonnera plus d'un.

POUR 7 À 8 POTS   PRÉPARATION : 30 MIN   MACÉRATION : 1 H   CUISSON : 45 MIN

Confiture de tomates vertes

2 kg de tomates encore bien vertes
Le jus de 4 citrons
2 kg de sucre cristallisé
50 cl d'eau

- Lavez, épépinez puis hachez grossièrement les tomates dans un saladier. Ajoutez le jus des citrons et le sucre.
- Laissez macérer 1 heure.
- Dans une casserole, faites cuire le mélange avec l'eau pendant 45 minutes environ : arrêtez la cuisson lorsqu'une cuillère en bois laisse dans la confiture un sillage derrière elle.
- Écumez et mettez en pots.

Le conseil de Pascale Les plus intrépides peuvent ajouter 3 cuillères à soupe de graines de coriandre écrasées.

Une confiture d'ananas étonnante et savoureuse : elle m'a été transmise par une amie alsacienne.

POUR UNE DIZAINE DE POTS   PRÉPARATION : 1 H   MACÉRATION : 1 NUIT   CUISSON : 10 MIN

Confiture d'ananas à la poire

1 bel ananas

8 poires williams

2 kg de sucre pour confiture

Le jus de 1 citron

1 gousse de vanille

● Épluchez l'ananas en ôtant soigneusement les yeux et le cœur puis coupez-le en morceaux.

● Épluchez et coupez en morceaux les poires.

● Mettez les fruits dans un saladier avec le sucre, ajoutez le jus de citron, la gousse de vanille et laissez macérer pendant une nuit.

● Le lendemain, versez le mélange dans une casserole et faites cuire environ 10 minutes à feu vif en écumant régulièrement.

● Ôtez les fruits avec une écumoire et réduisez-les en purée grossière.

● Versez la purée de fruits dans la casserole, mélangez bien et mettez en pots.

Le conseil de Pascale **Patientez au moins 24 h avant de déguster pour que la confiture soit bien prise.**

Un de mes meilleurs souvenirs d'un voyage en famille au cœur de la Centrafrique.

POUR 7 À 8 POTS PRÉPARATION : 30 MIN MACÉRATION : 2 H CUISSON : 45 MIN

Confiture de goyaves

2 kg de goyaves
2 kg de sucre cristallisé
Le jus de 2 citrons verts

- Épluchez les goyaves, enlevez les pépins, puis coupez-les en morceaux.
- Mettez les fruits dans un saladier avec le sucre, ajoutez le jus des citrons verts et laissez macérer 2 heures.
- Versez le mélange dans une casserole et faites cuire environ 45 minutes à feu vif, en écumant régulièrement.
- Ôtez les fruits à l'aide d'une écumoire et réduisez-les en purée grossière avec une fourchette.
- Mettez en pots.

Le conseil de Pascale Pour que la confiture soit ferme, ne choisissez pas des fruits trop mûrs.

Une recette ancestrale qui nécessite du soin et du temps mais quel régal !

POUR 7 À 8 POTS   PRÉPARATION : 30 MIN   CUISSON : 1 H 45

Gelée de cassis

2 kg de baies de cassis
1 sac à gelée
Sucre cristallisé

● Rincez les baies rapidement sous un filet d'eau froide puis faites cuire les fruits 1 heure dans une terrine au bain-marie.

● Passez la purée obtenue dans un sac à gelée et réservez le jus.

● Retirez la pulpe du sac, mettez-la dans une casserole et couvrez-la d'eau froide. Portez à ébullition et laissez cuire 20 minutes à feu doux.

● Filtrez une seconde fois la purée de fruits dans le sac à gelée et réservez le deuxième jus ainsi obtenu.

● Mesurez les quantités des 2 jus et comptez 500 g de sucre pour 50 cl de liquide.

● Versez les 2 jus de filtrage et le sucre dans la casserole et faites cuire doucement jusqu'à dissolution complète du sucre. Faites encore cuire 10 minutes à feu vif.

● Écumez et mettez en pots.

Variante Vous pouvez procéder exactement de la même manière avec des groseilles.

Une délicieuse recette pleine d'originalité qui nous vient de nos amis anglais.

POUR 7 À 8 POTS   PRÉPARATION : 30 MIN   CUISSON : 1 H 15

Gelée de pommes au gingembre

2 kg de pommes à cuire
type reinette
ou clochard
3 cuil. à soupe
de gingembre frais
haché
1,5 l de cidre brut
1,5 l d'eau
1 sac à gelée
Sucre cristallisé

- Épluchez et coupez les pommes en morceaux.
- Faites cuire les pommes dans une casserole avec le gingembre et le cidre pendant 25 minutes à partir de l'ébullition.
- Passez la purée obtenue dans un sac à gelée et réservez le jus.
- Retirez la pulpe du sac, mettez-la dans une casserole et couvrez-la d'eau froide. Portez à ébullition et laissez cuire 20 minutes à feu doux.
- Filtrez une seconde fois la purée de fruits dans le sac à gelée et réservez le deuxième jus ainsi obtenu.
- Mesurez les quantités des 2 jus et comptez 500 g de sucre pour 50 cl de liquide.
- Versez les 2 jus de filtrage et le sucre dans la casserole et faites cuire doucement jusqu'à dissolution complète du sucre. Faites encore cuire 10 minutes à feu vif après ébullition.
- Écumez et mettez en pots.

Variante   Vous pouvez tout à fait remplacer le gingembre par de la menthe fraîche hachée.

La vraie recette anglaise : beaucoup de travail mais un goût incomparable !

POUR 7 À 8 POTS PRÉPARATION : 1 H CUISSON : 1 H

Marmelade orange pamplemousse citron

2 pamplemousses
non traités
2 grosses oranges
non traitées
4 citrons non traités
3,5 l d'eau
2,5 kg de sucre cristallisé

● Pressez le jus de tous les fruits et mettez-le dans une casserole. Mettez la pulpe et les pépins dans une mousseline que vous nouerez avec une grande longueur de ficelle.

● Émincez très finement le zeste de tous les fruits et mettez-le dans la casserole avec le jus.

● Mettez le nouet dans la casserole et ajoutez l'eau. Portez à ébullition puis baissez à feu doux pendant 30 à 40 minutes jusqu'à ce que le liquide réduise d'environ 1/3 et que les zestes soient bien tendres.

● Ôtez le nouet après l'avoir bien pressé, ajoutez le sucre et remuez à feu doux avec une cuillère en bois jusqu'à ce qu'il soit complètement dissous.

● Portez à ébullition à feu vif et cuisez encore pendant 20 à 25 minutes jusqu'à obtention de la bonne consistance (voir méthode de l'assiette froide page 6).

● Écumez hors du feu et laissez refroidir quelques minutes jusqu'à ce qu'une pellicule se forme sur le dessus. Mettez en pot.

Astuce Vous pouvez utiliser cette marmelade authentique pour laquer du canard.

Une recette qui m'a été donnée par un ami argentin :
merci Miguel !

POUR 4 POTS   SANS PRÉPARATION   CUISSON : 30 MIN À LA COCOTTE-MINUTE

Confiture de lait (*dulche de leche*)

4 boîtes de lait concentré
sucré

- Placez les boîtes dans une cocotte-minute et recouvrez-les d'eau.

- Quand la cocotte siffle, baissez le feu et comptez 30 minutes. Laissez refroidir sans ouvrir la cocotte.

- Il suffit d'entreposer les boîtes au réfrigérateur : fermée, une boîte peut se conserver plusieurs semaines.

Astuce **J'adore déguster cette confiture de lait sur des crêpes.**

Une recette parfaitement incontournable des « five o'clock british » : pour fondre de plaisir !

POUR 4 À 5 POTS (À GARDER AU RÉFRIGÉRATEUR) PRÉPARATION : 30 MIN CUISSON : 40 MIN

Lemon curd

8 petits ou 6 gros citrons juteux non traités
225 g de beurre doux
575 g de sucre semoule
5 œufs

● Râpez le zeste des citrons et pressez leur jus pour obtenir environ 30 cl de liquide.

● Coupez le beurre en petits morceaux dans un saladier en verre, ajoutez le sucre, le zeste et le jus des citrons. Mélangez et mettez à chauffer dans un bain-marie jusqu'à ce que le beurre et le sucre soient complètement fondus.

● Battez rapidement les œufs à la fourchette. Tamisez au travers d'un chinois dans le saladier au bain-marie, en mélangeant avec une cuillère en bois pendant 20 à 25 minutes, jusqu'à ce que le mélange épaississe.

● Arrêtez la cuisson au bain-marie dès que le mélange nappe le dos de la cuillère.

● Mettez en pots et conservez impérativement au réfrigérateur pendant au maximum 1 mois.

Le conseil de Pascale À tartiner sur des toasts tièdes, pour garnir des tartelettes individuelles ou fourrer une banale génoise.

Cette recette me vient de mon amie Agnès qui la tient de sa maman, toutes deux grandes cuisinières !

POUR 1 KG DE PÂTE DE COING   PRÉPARATION : 15 MIN   CUISSON : 1 H

Pâte de coings

1 kg de coings
750 g de sucre cristallisé
+ 100 g pour le séchage

- Pelez les fruits et coupez-les en morceaux, cœurs compris.
- Mettez les morceaux dans un faitout et recouvrez-les d'eau. Faites cuire 20 minutes environ jusqu'à ce qu'ils soient tendres.
- Avec une écumoire, sortez les morceaux de coings et écrasez-les au presse-purée. Réservez le jus de cuisson.
- Pesez cette purée : pour 1 kg, ajoutez 750 g de sucre cristallisé et une louche de jus de cuisson. Adaptez les quantités de sucre et le jus de cuisson à la quantité de purée.
- Versez la purée dans le faitout vide. Faites à nouveau cuire 30 minutes, en mélangeant régulièrement avec une cuillère en bois.
- La pâte s'épaissit hors du feu : laissez-la refroidir et sécher à l'air plusieurs jours dans des récipients type couvercle de boîte à biscuits en métal.
- Roulez la pâte dans le sucre cristallisé. Laissez sécher à nouveau. Puis coupez la pâte de coings en carrés ou losanges, que vous conserverez dans des boîtes hermétiques.

Le conseil de Pascale À faire figurer en bonne place de vos petits cadeaux de Noël et bien sûr dans les 13 desserts de la tradition provençale.

Un incontournable de la cuisine familiale, en dessert ou en accompagnement de plats salés.

POUR 1 KG DE COMPOTE   PRÉPARATION : 15 MIN   CUISSON : 30 MIN

Compote de pommes et de rhubarbe

500 g de rhubarbe
500 g de pommes
12 cl d'eau
250 g de sucre roux

● Choisissez des tiges de rhubarbe bien rigides, vertes ou rouges. Épluchez-les soigneusement et coupez-les en tronçons.

● Épluchez-les pommes puis coupez-les en dés. Dans une casserole, faites cuire très doucement la rhubarbe et les pommes pendant 30 minutes, en ajoutant l'eau.

● Ajoutez le sucre roux au dernier moment dans la compote encore chaude . Mélangez soigneusement.

Astuce Délicieux en accompagnement de petites tartelettes au boudin noir.

Une compote maison formidable pour les crumbles.

POUR 1 KG DE COMPOTE   PRÉPARATION : 15 MIN   CUISSON : 30 MIN

Compote de pommes à la cannelle

1 kg de pommes
12 cl d'eau
1 bâton de cannelle

● Épluchez les pommes et coupez-les en morceaux.

● Dans une casserole, faites cuire très doucement les fruits avec l'eau et le bâton de cannelle jusqu'à ce que les morceaux soient fondants.

● Selon les goûts ou l'utilisation, mixez finement la compote ou laissez-la en morceaux.

Le conseil de Pascale Je prépare souvent un bocal de compote d'avance pour accompagner des crêpes au petit déjeuner ou mélanger à un yaourt nature pour un dessert gourmand mais diététique.

Un parfum de vacances et une base très variée de desserts.

POUR 1 KG DE COMPOTE   PRÉPARATION : 20 MIN   CUISSON : 10 MIN

Compote de pêches

1 kg de pêches jaunes
ou blanches
4 ou 5 feuilles de menthe
fraîche

- Plongez les pêches dans une casserole d'eau bouillante pendant 3 minutes pour faciliter l'épluchage.
- Coupez les fruits épluchés en morceaux après avoir ôté les noyaux.
- Dans une casserole, faites cuire les pêches très doucement pendant 10 minutes environ, jusqu'à ce que les morceaux soient fondants.
- Juste au moment de servir, ciselez finement les feuilles de menthe au dessus de la compote.

Le conseil de Pascale Une recette pour déguster des pêches qui commencent à s'abîmer ou au contraire des fruits achetés trop verts et qui n'arrivent pas à mûrir.

L'accompagnement idéal pour égayer un banal sandwich jambon beurre.

POUR 7 À 8 POTS   PRÉPARATION : 45 MIN   CUISSON : 1 H

Chutney de pommes

1,5 kg de pommes vertes
600 g d'oignons
2 gousses d'ail
300 g de raisins secs
50 cl de vinaigre de cidre
250 g de miel liquide
1 cuil. à café de gingembre en poudre
1 cuil. à café de cannelle en poudre
1 cuil. à soupe de sel

- Pelez les pommes et coupez-les en morceaux.

- Épluchez et hachez les oignons et les gousses d'ail.

- Mélangez les oignons hachés, les raisins secs, le vinaigre et les gousses d'ail hachées dans une casserole, puis faites cuire à feu doux pendant 15 minutes.

- Ajoutez le miel en mélangeant bien et faites cuire encore 45 minutes à feu doux.

- Hors du feu, ajoutez les épices et le sel. Mélangez soigneusement.

- Mettez en pots.

- Retournez les pots pour la stérilisation, comme pour des pots de confiture (voir p. 7).

Le conseil de Pascale **Votre chutney sera nettement meilleur après un mois de conservation.**

Encore une recette d'inspiration anglaise ou plus exactement anglo-indienne.

POUR 5 À 6 POTS   PRÉPARATION : 30 MIN   MACÉRATION : 2 H   CUISSON : 40 MIN

Chutney de mangues

1,5 kg de mangues
2 cuil. à soupe de sel
100 g de raisins secs
50 cl de vinaigre de cidre
675 g de sucre roux
1 cuil. à soupe
de gingembre râpé
1 cuil. à café de cannelle
en poudre
10 grains de poivre noir

● Pelez les mangues et coupez-les en morceaux dans un saladier, incorporez le sel et laissez macérer 2 heures.

● Rincez les morceaux de mangues sous un filet d'eau froide puis séchez-les dans une feuille de papier absorbant pour éliminer le sel.

● Dans une casserole, portez le mélange de fruits, de raisins secs, de vinaigre, d'épices et de sucre à ébullition, puis laissez cuire à feu doux pendant 30 minutes jusqu'à ce que la cuillère en bois plongée dans le mélange en ressorte sans laisser goûter de liquide.

● Mettez en pots et retournez les pots comme pour la confiture (voir conservation page 7).

Le conseil de Pascale Votre chutney sera encore meilleur après un mois de conservation à l'abri de la chaleur et de la lumière.

Un chutney très doux et aromatique, excellent avec du fromage et du pain.

POUR 7 À 8 POTS   PRÉPARATION : 45 MIN   CUISSON : 1 H

Chutney de tomates

1,5 kg de tomates
700 g de petits oignons
1 kg de pommes à cuire
175 g de raisins secs
50 cl de vinaigre de vin blanc
1 cuil. à café de gingembre râpé
1 cuil. à café de girofle en poudre
10 grains de poivre noir
2 cuil. à café de sel
350 g de sucre roux

• Plongez les tomates dans une casserole d'eau bouillante pendant 2 à 3 minutes pour pouvoir les peler plus facilement, les épépiner et les couper en morceaux.

• Pelez et émincez les oignons et les pommes.

• Mélangez les tomates, les oignons et les pommes dans une casserole avec les raisins secs, le vinaigre, les épices, le sel et le sucre puis portez à ébullition. Faites cuire ensuite à feu très doux pendant 45 minutes jusqu'à ce que la cuillère en bois plongée dans le mélange en ressorte sans laisser goûter de liquide.

• Mettez en pots et retournez les pots comme pour la confiture (voir conservation page 7).

Le conseil de Pascale Des tomates bien mûres et 2 mois minimum de conservation à l'abri de la chaleur et de la lumière pour une dégustation optimale.

Un délice avec le foie gras, pour les accros au sucré-salé.

POUR 5 À 6 POTS   PRÉPARATION : 15 MIN   CUISSON : 1 H 30

Confiture d'oignons

2 kg d'oignons
300 g de raisins secs
50 cl de vinaigre de cidre
100 g de miel

● Pelez les oignons et hachez-les grossièrement.

● Dans une casserole à fond épais, faites cuire à feu extrêmement doux pendant 45 minutes le mélange d'oignons, de raisins secs et de vinaigre.

● Ajoutez le miel en mélangeant bien et faites cuire encore 45 minutes à feu doux.

● Mettez en pots.

● Pour la stérilisation, retournez les pots comme pour les pots de confiture (voir conservation page 7).

Le conseil de Pascale Cette confiture est particulièrement bienvenue en cadeau pour Noël !

Un moyen original de venir à bout d'une récolte souvent prolifique de kiwis !

POUR 6 À 7 POTS   PRÉPARATION : 30 MIN   MACÉRATION : 15 MIN   CUISSON : 30 MIN

Pickles kiwis/pommes

1 kg de kiwis
Le jus de 1 citron
1 l de vinaigre de cidre
250 g de sucre roux
150 g de miel
3 pommes
1 cuil. à soupe de poivre noir en grains
1 cuil. à soupe de sel

- Pelez et coupez les kiwis en morceaux et laissez-les macérer 15 minutes avec le jus de citron dans un saladier en verre.

- Dans une casserole, portez à ébullition le mélange de vinaigre, de sucre, de miel, de poivre et de sel puis faites réduire environ 10 minutes à feu vif.

- Pelez les pommes, coupez-les en morceaux de la même taille que les kiwis et plongez-les dans le sirop brûlant. Faites cuire à feu doux pendant 5 minutes.

- Ajoutez les morceaux de kiwis et continuez la cuisson pendant 5 minutes.

- Retirez les morceaux de kiwis et de pommes avec une écumoire et remplissez les pots préalablement stérilisés. Choisissez des pots possédant des couvercles avec intérieur plastifié résistant au vinaigre.

- Faites bouillir le sirop encore 10 minutes puis remplissez les pots en veillant à recouvrir parfaitement les fruits pour assurer leur conservation.

- Patientez une semaine avant de déguster les pickles.

Le conseil de Pascale Choisissez des kiwis très fermes, encore verts, ils ne se déliteront pas dans le vinaigre.

À faire en septembre ou octobre pour tous déguster au moment de Noël !

POUR 4 À 5 POTS   PRÉPARATION : 10 MIN   SANS CUISSON

Raisins au whisky

1 kg de raisins blancs
à gros grain type Italia
450 g de sucre cristallisé
75 cl de whisky

● Égrenez le raisin. Percez chaque grain de raisin avec une pique en bois et remplissez les pots aux 2/3 en alternant fruit et sucre.

● Versez le whisky sur les grains de raisin en veillant à recouvrir parfaitement les fruits.

● Secouez régulièrement les pots pour faire fondre le sucre et dégustez seulement au bout de 2 à 3 mois. Conservez à l'abri de la chaleur et de la lumière.

POUR 10 LITRES DE VIN D'ORANGE   PRÉPARATION : 30 MIN   MACÉRATION : 40 JOURS

Vin d'orange de papa

6 litres de vin rosé
15 oranges non traitées
3 ou 4 citrons non traités
2 bâtons de vanille
1,6 kg de sucre cristallisé
2 litres d'eau de vie de fruit à 45°

● Lavez les fruits et coupez-les en quartiers sans les peler.

● Mettez les fruits dans une bonbonne avec les autres ingrédients et laissez macérer pendant 40 jours en mélangeant de temps en temps.

● Filtrez et mettez en bouteille.

Le conseil de Pascale : Choisissez de belles bouteilles gravées pour offrir ou gardez pour vous au réfrigérateur dans une belle carafe ancienne.

À peine une recette, tant elle est simple à réaliser, mais une vraie nostalgie de veillées mémorables.

POUR 4 À 5 BOCAUX   PRÉPARATION : 15 MIN

Cerises à l'eau de vie

1 kg de cerises type griottes
Eau de vie de fruits
250 g de sucre cristallisé

- Lavez rapidement les cerises sous un filet d'eau froide et séchez-les soigneusement dans un torchon. Ôtez les queues.

- Mettez les cerises dans les bocaux, saupoudrez-les de sucre et recouvrez d'eau de vie.

- Secouez les bocaux régulièrement les premiers jours pour faciliter la dissolution du sucre.

Le conseil de Pascale **N'hésitez pas à utiliser ces cerises pour agrémenter vos desserts.**

Une des rares recettes de ce livre qui ne m'ait pas été transmise en héritage mais une vraie découverte !

POUR 3 GRANDS BOCAUX   PRÉPARATION : 15 MIN   CUISSON : 10 MIN

Pêches aux cinq épices

2 kg de pêches jaunes
60 cl de vinaigre blanc
12 grains de poivre
4 capsules
de cardamome
2 bâtons de cannelle
1 cuil. à café de clous
de girofle
2 étoiles de badiane
1 kg de sucre cristallisé

● Plongez les pêches dans une casserole d'eau bouillante pendant 2 à 3 minutes pour les éplucher plus facilement. Coupez-les en deux et ôtez le noyau.

● Faites bouillir le vinaigre avec les épices dans une casserole. Hors du feu, ajoutez le sucre en mélangeant pour le faire fondre dans le liquide brûlant.

● Ajoutez les pêches et portez à ébullition pendant 5 minutes.

● Mettez les pêches dans les bocaux et recouvrez bien les fruits du sirop vinaigré pour la conservation.

Le conseil de Pascale **Ces pêches sont extraordinaires avec un magret de canard et du riz basmati.**

Index des recettes